le ballon

D0831224

crabe

le maillot de bain

le seau

les moules

la pelle

la mare

T'choupi

les crevettes

l'épuisette

le coquillage

Un personnage de Thierry Courtin
Couleurs : Françoise Ficheux

Conforme à la loi n°49.956 du 16 juillet 1949
sur les publications destinées à la jeunesse.
© Éditions Nathan/VUEF, 2003
ISBN : 978-2-09-202225-2
N° d'éditeur : 10140145 - dépôt légal : février 2007
Imprimé en France par Pollina s.a. n° L42324a

T'choupi
à la plage

Illustrations de Thierry Courtin

Il fait beau aujourd'hui !

 va à la plage avec ses parents

T'choupi

et sa petite sœur . .

Fanni

Il va bien s'amuser !

Maman déroule une  et papa

serviette

déplie le  .

parasol

T'choupi, lui, s'est déjà mis en ▮▮ .

maillot de bain

— La mer est haute, crie-t-il, je vais

me baigner !

T'choupi court vers la mer.

Il saute par-dessus les grosses  .

vagues

Fanni, elle, préfère se baigner

dans une petite .

mare

Puis avec sa  et son ,

pelle   seau

T'choupi construit un beau château

au bord de l'eau.

— Voilà, Doudou, c'est toi le roi du château !

— Heureusement que la mer descend !

dit maman.

T'choupi aime bien jouer au

ballon

avec sa maman et son papa.

Il y a aussi des  pour jouer

raquettes

au badminton, mais Fanni ne veut

les prêter à personne aujourd'hui !

C'est l'heure du goûter !

Maman donne des à T'choupi.

gâteaux

Papa sert sa à Fanni.

compote

— Fanni, dit T'choupi, si tu me laisses un peu

de compote, je te donne un de mes gâteaux.

La mer est basse, maintenant.

Dans le sable mouillé, T'choupi cherche

des  et des .

coques   couteaux

Il faut bien regarder et puis creuser !

Un peu plus loin, T'choupi voit

des  accrochées aux rochers.

moules

Un petit  s'enfuit

crabe

quand il s'approche trop près de lui.

Tout au bord de l'eau, T'choupi pêche

des  avec sa belle .

crevettes   épuisette

— Papa, vite, donne-moi un seau,

j'en ai attrapé plein !

— Bravo, dit papa, on va faire un bon repas !

Mais T'choupi ne veut pas manger

les crevettes : il préfère les relâcher

dans une mare, au milieu des

anémones de mer

et des  .

algues

T'choupi trouve un magnifique  .

coquillage

Quand il le met contre son oreille,

il entend la mer.

— Tu vois papa, je vais le rapporter

à la maison, celui-là : je suis sûr

qu'on ne le mangera pas !

Dans cette scène, retrouve
ce que T'choupi a vu sur la plage :

la serviette,
le maillot de bain,
la pelle,
le seau,
l'épuisette,
les raquettes,
le ballon,
les vagues,
les coques,
les couteaux,
les moules,
le crabe,
les crevettes,
l'anémone de mer,
les algues,
les coquillages.

le parasol

la serviette

les vagues

la compote

l'algue

l'anémone de mer

Fanni

le couteau

les raquettes

les gâteaux

la coque